La cerillera

Dirección editorial: Raquel López Varela
Coordinación editorial: Ana María García Alonso
Maquetación: Concepción Moratiel

Título original: *Das Mädchen mit den Schwefelhölzchen*
Traducción: María Victoria Martínez Vega

© 1999, Esslinger Verlag J. F. Schreiber GmbH, Esslingen - Wien
P. O. Box 10 03 25 - 73703 Esslingen - GERMANY
EDITORIAL EVEREST, S. A.
Carretera León-La Coruña, km. 5 - LEÓN
ISBN: 84-241-1632-1
Depósito Legal: LE. 520-2005
Printed in Spain - Impreso en España

EDITORIAL EVERGRÁFICAS, S. L.
Carretera León-La Coruña, km. 5
LEÓN (España)
Atención al cliente: 902 400 123
www.everest.es

La cerillera

Hans Christian Andersen

Adaptado por
Arnica Esterl
Ilustrado por
Anastassija Archipowa

EVEREST

El día de Año Viejo, el último día del año, hacía mucho frío y las calles de la pequeña ciudad estaban completamente oscuras.

La gente permanecía en sus casas calientes y a través de las ventanas podía verse brillar las luces de los árboles de navidad. El olor a pavo asado llegaba hasta las calles. Estaba nevando.

Sólo una pequeña niña vagaba por las calles vacías. Sus cabellos dorados estaban cubiertos de copos de nieve y sus pies desnudos estaban amoratados a causa del frío. Cuando había salido de casa llevaba puestos unos zapatos. Pero cuando tuvo que apartarse apresuradamente al pasar un coche, los había perdido, ya que le quedaban muy grandes. Uno de los zapatos lo había perdido y el otro se lo había cogido un niño y se había marchado corriendo.

La niña llevaba un manojo de cerillas en la mano y en el bolsillo de su mandil aún tenía más. Pero nadie le había comprado nada en todo el día. Nadie le había regalado ni un solo penique.

Ahora no se atrevía a volver a casa, ya que no había vendido ni una sola cerilla y no había conseguido nada de dinero. Su padre seguro que le pegaría y en casa de todos

modos también hacía frío, ya que el viento atravesaba las grietas que tenía el tejado.

Así que la niña se sentó encogida en una esquina que había entre dos casas, de las cuales una sobresalía un poco más que la otra, apoyando sus pies contra su cuerpo. Tenía mucho frío y sus pequeñas manos estaban a punto de congelarse.

"¡Ay!", pensó, "encenderé tan solo una cerilla contra la pared y así me calentaré al menos las manos".

Sacó una cerilla del manojo. ¡Tris! ¡Cómo brillaba, cómo ardía! Era una llama cálida y clara. Mantuvo la mano por encima de la luz.

La niña se sentía como si realmente estuviera sentada junto a un enorme fuego sobre el cual se encontraba una olla de latón humeante.

¡Cómo chispeaba el fuego, qué agradable calor proporcionaba! La niña extendió los pies para calentarse pero en ese momento la llama se apagó y el fuego desapareció. Sólo le quedaban los restos consumidos de la cerilla en la mano.

¡Cómo humeaba y olía ese sabroso pavo asado relleno de man-

zanas y pasas! ¡Oh, mira! ¡El pavo saltaba de la fuente y aterrizaba en el suelo, caminaba hacia la pobre niña con el cuchillo y el tenedor clavados en el pecho!

Entonces se apagó la cerilla y de nuevo la niña sólo contemplaba el frío y grueso muro. Encendió nuevamente una cerilla. Ahora se encontraba bajo un gran árbol de navidad.

Era aún más grande y estaba mucho más decorado que el que había visto a través del escaparate del rico comerciante. Miles de luces brillaban sobre las ramas verdes.

La pequeña extendió los brazos. En ese instante se apagó la cerilla. Las melodías navideñas subían hasta el cielo convirtiéndose en estrellas. Una de las estrellas cayó al suelo dejando una larga estela. "Eso es que alguien va a morir", pensó la pequeña. Esto se lo había contado su abuelita poco antes de subir al cielo. Su abuela, la única persona que la había querido de verdad le había explicado: "Cuando una estrella cae del cielo, un alma sube hacia Dios".

La niña encendió nuevamente una cerilla contra la pared. Se hizo de día y ante ella apareció la anciana abuela, resplandeciente y cariñosa.

"¡Ay, abuelita, llévame contigo!", le pidió la niña. "Sé que cuando se apague la cerilla te irás, desaparecerás como el fuego, como el pavo y como el precioso árbol de navidad. ¡No me dejes sola!".

Rápidamente encendió todas las cerillas restantes, porque quería que su abuela se quedara con ella.

Las cerillas comenzaron a arder con tanta intensidad que cada vez se hacía más de día. La abuela no había estado nunca tan radiante.

La pequeña alzó los brazos. Se sentía extraordinariamente ligera. Su abuela la tomó en brazos y as-

cendió con ella por las alturas. Allí arriba no existía ni el frío ni el hambre. Seguían subiendo y subiendo, hacia una luz, hacia el calor; estaban en el cielo.

A la mañana siguiente encontraron en una esquina junto a las dos casas el pequeño cuerpo sin vida de la pequeña, con las mejillas sonrosadas y una sonrisa en sus labios.

Una pequeña mano sujetaba aún las cerillas que se habían consumido. "Buscaba un poco de calor", dijo alguien "y se murió de frío".

Nadie podía adivinar las maravillas que ella había presenciado y con qué esplendor había comenzado el Año Nuevo.

24